# 모든 것이 당신의 것

《일러두기》

1. 작가 특유의 문체를 지키기 위한 비문이 포함되어 있습니다.
2. 특정 장소나 인물 등의 지칭은 프라이버시 보호를 위해 변경되었습니다.

# 모든 것이 당신의 것

지은이　한사랑

발　행　2024년 1월 17일
펴낸이　한건희
펴낸곳　주식회사 부크크
출판사등록　2014.07.15.(제2014-16호)
주　소　서울특별시 금천구 가산디지털1로 119 SK트윈타워 A동 305호
전　화　1670-8316
이메일　info@bookk.co.kr

ISBN　979-11-410-6720-5

* 이 책은 네이버에서 제공한 나눔 글꼴이 적용되어 있습니다.

www.bookk.co.kr

# 모든 것이 당신의 것

빛의책 시리즈 3 - 묵상 시·산문집

한사랑 지음

BOOKK✎

# 헌사

✚

성부 성자 성령의 삼위일체 하느님과

나를 사랑해 준 모든 천상 식구,

그리고 늘 사랑을 사모할 모든 날의 나에게

# 차례

## 제1부 내면의 고백

## 제3부 그 모든 소망

# 제1부

# 내면의 고백

참된 사랑에서 행해지지 않는 모든 것
인간이 되신 하느님을 사랑해요
별똥별에 대한 추억
사제를 위한 기도를 방해받다
받아들임과 의탁과 신뢰를 위하여
의로움
사랑고백
그분 안에 녹아 없어지기를
하늘에 계신 하느님을 갈증해요
위대한 하느님과 허무인 나
So be it
죽지 못해 사는 마음
Hear me
공로 없는 천상 도둑
괴로운 날
하나 되게 해 주세요
늘, 매 순간 죽음을 준비해야 해
전능한 당신은 가능하니까
죽고 싶다
별 무리의 별 하나
이 길 위에 굳게 서 있기를

**참된 사랑에서 행해지지 않는 모든 것**


참된 사랑에서 행해지지 않는 모든 것은 허무이고,

허무에 추함까지 더해져서 암흑밖에는 더 아니다.


아름답지 않다. 전혀, 아름다울 수가 없다.

## 인간이 되신 하느님을 사랑해요

나약해지신 예수님이 좋아. 우리를 위해 수치를 당하고 부끄러움을 당하신 예수님이 좋아. 우리 때문에 우리를 원해서 오로지 우리를 위해서 당신의 모든 삶의 시간을 다 바치신 예수님이 좋아.

우리 때문에 당신의 모든 감각도 정신도 마음도 사랑도 다 바치신, 이분이 바로 우리의 신이야, 우리 주인이야, 우리 주님이야….

우리를 위해 괴로워하고 눈물 흘리신 주님이 사랑스러워…
우리에게 다가오기 위해 유한有限을 입어서,
괴로움, 혐오감, 몸서리쳐지는 모든 것들을 기꺼이 느끼시고 이겨내신 예수님을 사랑해… 우리와 같은 인성을 취하여, 우리와 같은 '사람'이 되어, 우리를 형제라고, 우리를 친구라고 불러준 하느님을 사랑해…

---

○ 이미지: 예수 성심과 성녀 마리아 마르가리타 알라코크(edited image, original Image by commons.m.wikimedia.org/wiki/File:Antonio_Ciseri,_Apparizione_del_sacro_Cuore_a_santa_maria_alacoque._1880._01.jpg

## 별똥별에 대한 추억

와! 오늘 처음으로 별똥별을 봤다.

유난히 별이 많은 오늘이었는데, 성체조배 후 성당에서 나와 고개를 들자마자 내 머리 바로 위, 내가 시선을 던진 그 자리에서 별똥별이 순식간에 선을 그으며 날아가 사라졌다.

사람이 정말 놀라면 자기도 모르게 탄성을 지르나 보다.

그때 대단히 차분한 상태였는데도 별똥별을 보자마자 깜짝 놀라서 "와!"하고 소리를 냈다.

아름다운 추억을 간직하면서, 하느님께 빌어본다.

이 별똥별이 내 영혼의 복된 미래를 위한 예언이었기를 바란다고.


## 사제를 위한 기도를 방해받다

이번 9일 기도 동안 내가 특별히 신부님들을 위해 기도하고 하느님께 감사드리는 것을 보고 마귀들이 악을 쓰고 나를 유혹하고 괴롭히는 중이다. 썩 꺼져! 나는 기도할 거야. 기도할 거야!

## 받아들임과 의탁과 신뢰를 위하여

아버지. 평화의 하느님. 저는 당신께 의탁합니다.

저는 당신을 온전히 신뢰하나이다. 그러니 침착하겠습니다.

제 영혼이 제 내적 마음이,

단비가 내려도 내려도 목이 말라 쩍쩍 갈라진 마른 땅 같이 느껴져도 실망하지 않겠습니다.


아무것도 담기지 않고 점점 더 비어가는 듯한 내면을 느껴도 실망하지 않겠습니다.


이 가난을 받아들이겠습니다. 잡으려고 애쓰지 않겠습니다.

무언가를 소유하려고 발버둥 치지 않겠습니다. 내 주님.


아버지를 담고 성령을 담고 예수께서 늘 제게 오시는 것으로 만족하겠습니다. 만족할게요.


그러나 제 불충으로 당신으로부터 번개처럼 한순간에 떨어져 나가고 싶지는 않으니 노력하겠어요.

'번개 같은'이라는 표현은 그다지 좋아하지도 않고 쓰고 싶지는 않지만, 제게 경각심을 주기 위해 오늘만 쓸게요.

당신은 제가 당신에게서 멀어지지 않게 꼭 붙들어 매시는 하느님
이라는 사실은 저도 잘 알고 있으니까 안심하세요.


나의 사랑, 나의 예수님. 오늘도 저를 축복하시고

이 가련하고 작은 영혼을 당신 원하시는 대로 쓰시고

또 마음대로 굴리시고 또 사랑해 주시고 친구 삼아 주세요.

주님의 마음을 아프게 하지 않도록 늘 깨어 살아가게 하세요.

하느님, 하느님을 사랑합니다. 이 말이 티끌 없는 진실이기를 바
랍니다.

## 의로움

하느님의 말씀을 지켜야 할 거 아냐.

충분히 할 수 있는 일이잖아.

이기주의와 자기애를 짓밟고 일어서는 의덕으로 예수님을 지켜드
릴 수는 없어?

정신 차려. 이제는 조금이라도 원하지 않을 거야. 정신 차려.


## 사랑고백

아기 예수님 사랑해요.

아기 예수님 얼른 저를 데리러 와 주세요.

아기 예수님 사랑해요. 사랑합니다.

하느님, 하느님, 하느님, 하느님을 사랑합니다….

## 그분 안에 녹아 없어지기를

주님을 사랑하면 모든 것을 얻어 누린다고

알고 있어요. 알고 있어요.
하지만 아무것도 바라지 않아요. 주님.
아버지!
아무것도 바라지 않아요.
당신 속에서 완전히 녹아서 사라져 버리는 것 외에는
아무것도 진정으로 바라지 않아요.

없어지고 싶어요. 사라지고 싶어요.
아버지. 아버지.
나는 당신이 '땅 극변까지 가서 찾는' 작은 보석인가요?
예수님, 당신이 땅 극변에서도 찾을 수가 없어서
당신 주변의 모든 존재감 없던 공기가 제 숨결이라는 걸 깨닫고
마는, 그 모든 바람이 사랑이고 흠숭이고 찬가인,
그렇게 해 드리는 존재인가요? 제가? 당신 눈에⋯.

예수님. 모든 것에 감사드립니다.

이젠 제 상황도 아무것도 모르겠어요.

모르지만 사랑합니다.


아무것도 없는 것.

이것이 진리라고….

## 하늘에 계신 하느님을 갈증해요

사랑이 어디 있어요? 겸손이 다 뭔가요.

내 주변에서 나는 사랑을 보면서도 사랑을 찾을 수 없고

겸손을 어디서 찾아야 할지 알 수 없어요.

"수치스런 자기 추구에서 해방된 자, 진정으로 겸손한 자를 어디서 찾으리오? 아주 멀리, 땅 극변까지 가서 찾아야 한다."

인간…. 인간이란 얼마나 불완전한가….

우리는 다 어깨 위에 머리라고 불리는 교만 덩어리를 달고 살고 있어….

나는 깨닫고 마는 것이다. 이 세상에서 내가 바라던 겸손의 그림자도 볼 수가 없을 거라고…. 겸손… 완전한 겸손은 채워지지 않을 거라고…

이 세상에서는 깨닫고 마는 것이다. 이곳에서는 결코 내가 바라던 존재의 극치를 얻어 누릴 수 없을 거라고….

심지어 성체를 모셔도 -내가 감히 이런 말을 해도 된다면- 내 갈증은 채워지지 않아서 나는 성 요셉처럼 머리를 쳐들고 하늘을 올려다보고야 마는 것이다.[1]


하늘에서, 저 하늘에서 아버지의 중심에서 완전히 녹아 없어지지 않는 한 나는 이 사랑의 갈증을 채울 수 없을 거라고.

---

[1] M.C. 바이즈 수녀 지음, 『성 요셉의 생애』, 박필숙(사비나) 옮김, 크리스챤, p392
"요셉은 어렸을 적부터 이미 하늘을 자주 우러러 바라보는 습관에 익숙해져 있었다. …저 하늘 높은 곳에 그의 사랑하는 하느님께서 계신다는 의식이, 그의 사고 속에 깊이 박혀 있었고…
그는 예수에게 말했다. "나의 소중한 아들 예수야! 내가 너와 함께 이렇게 자리하고 있고, 또 네가 지닌 신성(神性)을 네게서 항상 느끼는 이 큰 행복을 누리고 있는데도, 가끔 하늘을 우러러보고 있노라면, 그 또한 내 마음이 기쁨으로 가득채워지곤 하는구나"
요셉의 고백에 예수가 대답하였다. "그것은 놀라운 얘기가 아니예요. 저 하늘에는 나의 아버지께서 가장 높으신 왕의 존엄과 영광속에 계시기 때문이예요.…"
요셉은 환호성을 질렀다. "오, 천국이로구나! 그곳이 바로 천국이로구나! 하늘에 계신 아버지가 어떤 분이신지 볼 수 있도록, 나를 들어 올려주실 그 순간이 언제나 될까? 오, 나의 하느님이시여"
하느님을 직접 보고 싶어하는 요셉의 열정적인 소망이, 소년 예수의 마음을 무척 흡족하게 해주고 있었다."

## 위대한 하느님과 허무인 나

정말 아무것도 이해하지 못하겠어.

구원 사업? 몰라, 나는 알 수 없어.

빛나는 하늘의 사업? 구원의 희생자? 공동구속자?

그건 너무 영광스러워서 경외감에 압도될 정도야.

너무도 영광스러운 구원자의 업적…

그 위대한 분 앞에서 나는 설령 내 기도로 구원을 얻게 된 영혼들이 있다고 할지라도 으쓱하기 위한 미소 하나도 자아낼 수 없을 거야….


나는 구속자가 아니다… 예수님을 제외하고,

우리는 모두 허무이다. 모두 허무이다.

예수님 다음으로 성모님과 성 요셉을 더하고 나면,

-그래도 다 허무이기는 하지만-, 결국은 다 허무인 것이다.


존재와 허무. 존재와 허무가 함께 살아… 함께 살고 있어.

죽어서도 이런 느낌일까?

하느님의 존재로 지탱되는 내 허무를 느끼는 걸까?

예수님의 삶이라고…, 예수님의 삶이라니.

미친 거 같아.

신성이 은밀하게 감추어지거나 적어도 멀찍이 떠나가서

그 안에 남은 인성만으로 견딘 수난의 모든 과정이라고…?

나는 이제 알 수 없어.

## So be it

괴로워해라. 실컷 괴로워해라.

매일 주어지는 시련의 조각들에

내 의지를 조각조각 부수어서,


피하고 도망치다가도 다시 돌아와서

다시 맞서고 받아나가라.

## 죽지 못해 사는 마음

　제대로 이룬 것도 없는 걸 알면서도 죽고 싶은 마음은 커져만 가서 괴로워요.


　아아, 하느님을 사랑한 그 영혼들은 이런 걸 견뎠을까요?
당신 안에 온전히 녹아들어 하나 되길 바라지만
죽고 싶어도 죽을 수 없는 시간의 무게들을?
그 세월을?


　너무 괴롭다. 참으로 평온하고 고요하고 사랑 가득한데
아주 차분한데 괴롭다.


　괴로워요, 사랑님.
하느님….

Hear me


성 미카엘, 그리고 천상 모든 천사여,

부디 제가 기도할 때마다 언제든 저와 함께 노래해 주세요!


제 기도에 당신들의 기도를 합쳐서

하느님께 위로, 흠숭, 찬미, 감사, 영광을 노래해 주세요.


레지나 안젤로룸, 천사들의 여왕이신 마리아, 저희를 도와주소서.


예수님의 거룩하신 얼굴이여, 슬픔의 동정녀인 당신의 거룩하신 어머니의 눈물들을 보시고 저희의 기도를 들어주소서.

## 공로 없는 천상 도둑

아버지께서는 내게 주신 모든 재능이 당신 사업을 위해 필요하지도 않으신가 보다. 이젠 정말 쓰실 생각이 없으신 것 같다.

그래, 사실은 그랬어. 그랬어요. 진실로, 주님 당신께서는 당신의 모든 사업을 하시는 데에 인간의 능력도 도움도 사실 필요치 않으신 거예요. 당신은 충분히 당신 마음대로 모든 것이 가능하신 거예요. 당신이 우리 각자에게 요구하신 것. 사랑. 사랑만이… 그저 그것만이 전부였다고….

주님은 정말이지, 아, 얼마나 인자하신지, 내가 바라던 청은 다 이루어 주셨다. 거지꼴로 점점 무능해지는 어린아이… '영광스러운 일들'을 행하기보다는 차라리 겸손을 위해 포기하는…. 아, 사랑! 인자하신 아버지여!

'양 떼도 없으니 이젠 사랑하는 일만 남았구나!' (십자가의 성 요한)

나는 정말 천상 도둑이 되겠네. 공로도 없으면서 천상에서 사는 거야… 사랑님, 사랑님!

'공로가 없이도 의로운 사람으로 인정받는 이는 복되다'(로마서)


'어린이의 정신'


아, 내가 이런 걸 바랐던가.

이런 걸 바랐었나요?

그랬어요. 알아요. 제 깊은 마음속에서는 이것을 진실로 원했어요.

예수님…. 저는 정말로 하나 밖에는 보고 싶지 않았어요. 다른 모든 거룩하고 선한 빛깔도 제게는 환멸을 주었기에… 당신 말고는 모든 것이 그러했어요. 모든 허무가….


예수님. 제가 너무나 자주 당돌하고, 맹랑하게 구는 것을 알고 있어요.


아버지, 이것이 당신께 지나칠 때가 있었나요?

제 마음을 너무나도 잘 아시는 당신, 그럼에도 제가 만일 당신 마음을 언짢게 한 적이 있었다면 용서해 주세요, 주님.


'어린이가 착하게 군다면, 그건 아버지를 기쁘게 해 드리기 위해

서인 거예요.' (소화 데레사)


보시다시피, 저는 제멋대로에 암흑 덩어리이고,

약삭스럽고 원숭이 같은 인간입니다. 저는 죄인이에요.


그래도 사랑합니다, 하고 말씀드립니다.

이 마음이 주님의 생명수처럼 주님께 활기가 되기를….

그 마음에 온화한 마리아의 손길 같은 따스함을 드리기를….


당신을 사랑하는 것 말고는 더 이상 아무것도 필요치 않아요, 주

님.

# 괴로운 날

● 괴로워요, 하느님. 그래도 감사합니다.
사랑해요!


● 매일의 고통은 감미로운 하루 양식이야.

하루, 아니 바로 지금 이 순간을 세상에서는 고통과 함께 보내게
되겠지. 그러나 가장 완전하다. 아주 마음에 들어. 예전보다 더
고통의 맛 그대로를 느끼게 된 것도 마음에 들어. 이게 바로 예수
님과 마리아 님이 겪으신 고통의 맛이고 이게 바로 사랑이니까.

다른 단맛이 더해질 필요도 없이 이 날 것 그대로의 맛이 좋다.


예수님을 닮고자 하는 생각 없이 사랑한다고 말해봤자 아무것도
아니고 너무 공허할 뿐이야. 잊지 말자. 단지 오로지 우리만을 위
해 존재했던 한 여인과 신-인간의 삶을.

## 하나 되게 해 주세요

하느님, 저를 이곳에 오래 두지 말아 주세요.

당신을 생각하는 시간을 빼앗는 모든 것을 없애 주세요.


저를 빼앗아 가 주세요. 이 세상으로부터….

당신과 가녀린 끈으로 겨우 이어져 지탱되는 시간 같은 건 더

이상 원하지 않아요…


아버지, 당신은 아시지요? 제 마음은 이제 천국의 영광도 원하지

않아요. 천국에서도 제 존재가 없는 것처럼 제 독특한 빛조차도

남겨두지 마시고 당신 빛 안에서 없어져 버리게 해 주세요….


당신 안에서 완전히 녹아들어서

그냥 당신, 당신으로 불리고

그냥 하느님, 하느님의 존재 그 자체가 되어서

당신 사랑의 당신 존재의 불로 타오르는 하늘의 예루살렘에서

그냥 당신과 하나 되게 해 주세요….

## 늘, 매 순간 죽음을 준비해야 해

하느님께서는 내게 이렇게 말씀하시는 것 같다.

'언제나 준비되어 있어라. 내가 도둑처럼 와서 너를 훔쳐 데리고
갈 테니까.'하고.

정말이지 '언제나'라는 거야. 매일, 매 순간 준비된 채로
어디 다른 데로 새지 말고 올바르게 얌전히 기다리고 있으라고.

사랑이라. 희생이라. 영원… 영원이라.

이런 특은은 인간밖에 못 받지.
그리고 주님과 성인들이 우릴 마중 나온다니.

역시 아버지는 잘 모르겠단 말이야.
정말이지 이상하고 재밌는 분이시라니까.

## 전능한 당신은 가능하니까

사랑합니다, 하느님.
사랑합니다.

아아, 지긋지긋하네요, 이 현세라는 곳은….

그러나 주님, 혹시 이 말이 주님께 무례가 될까요?

고통을 받고 이겨나가는 것은 재미있긴 하지만
내 마음으로 갈급할 만한 것은 아니에요.

오는 것을 겸손하게 받아들일 마음은 언제나 가지고 있지만
전 그 정도예요. 제가 약은 건지도 모르지만, 더 달라고,
고통에 갈증 난 것처럼 말할 수는 없어요. 예수님,
저는 고통에 "나는 목마르다"하고 이제는 말할 수 없어요.

공로라고…. 주님, 제가 이제 천국의 영광도 바라지 않고
단지 주님과 온전히 정말 완벽히 하나가 될 수 있을 것이기 때

문에 하늘의 예루살렘을 원하는데,


　그래서 모든 주님의 삶과 마음을 이 마음속에 간직하고 지내면서
도 더 이상 당신과 하나 되는 것을 제외하고는 아무런 원도 없어
요.


　제가 고통받는 것을 이겨내는 것을 보고 주님이 기쁘실 테니까
오래 살고 싶다거나 그런 것도 없어요.

　하느님 당신과 하나 되면 온전히 당신이 될 텐데, 그토록 오래
떨어져 있던 영혼이 드디어 품에 안기게 될 테니 더 기쁘실 텐데,

　왜 이 귀양살이 땅에서 굳이 당신을 더 닮기 위해 '오래 살기를
원해'야 하나요? 그건 제게 정말로 이상한 생각으로 보여요. 오래
사는 게 '주님의 뜻'이라면 몰라도요. 귀양살이를 오래 하기를 '스
스로' 원하다니. 당신은 바오로처럼 완고한 사람도 한 순간에 열절
한 사도로 만들고, 갓 세례 받은 소년도 당신 이름을 위해 순교할
수도 있게 하실 만큼 전능한 사랑꾼이신데. 하루도 천년 같은 당
신의 시간 속에서 나에게도 그런 사랑 주실 수 있잖아요. 성 요한
마리아 비안네 신부님이 우리도 가능하다고 그랬어요.


　당신의 뜻이라면 저는 죽고 싶어요.
　그리고 제 죽음의 순간에, 저는 진실로 믿어요.

당신 안에서 올바르게 살았고 준비해 왔다면 나머지 부족한 부분, 나머지 불완전한 부분에 대해서는 그 마지막 날에,

제가 예수님처럼 성모님처럼 깨끗할 수 있도록

저를 완전히 준비시켜 주실 것이라고.


예수님, 제가 너무 건방지고 공로 쌓기에 열심하지도 않아서 죄송해요. 하지만 주님, 저는 공로라는 말이 그다지 와닿지 않아요.


공로 덕분에 다이아몬드를 녹인 액체로 무슨 글씨를 새긴, 발광하는 드레스를 하늘에 마련한다고 해도 그게 다 뭐 어떻다는 건지 잘 모르겠어요. 예수님, 그건 주님의 작품일 테니까 분명 아름다울 텐데도 저는 관심이 없는 거예요…. 정말로, 이젠 다른 건 다 모르겠어요….


그런데 이상하지요? 이제는 천상의 영광도 바라지 않으면서도, 저는 어째서 이 지상에서는 이렇게 쉽게 세속의 거짓된 아름다움이나 하찮은 일에 종종 몰두하고 자주 마음이 쏠리는 거죠?

이건 정말로 우스운 일이에요….


예수님. 예수님. 하느님이신 예수님을 사랑합니다.

제 영혼과 하느님 아버지와의 탯줄과도 같은 예수님께 감사합니다.

저의 온 존재, 제 행동·생각·말·영혼 모두는 예수님의 존재를 통해 아버지께 전달해 주소서.


하느님 다음가는 성모님의 순결을 찬미합니다.

하느님 다음으로 가장 아름다우신 하느님의 어머니는 찬미 받으소서.

참으로 티끌 없고 깨끗하신 어머니는 저의 지극한 옹호자가 되어 주소서. 그 비둘기 같은 눈으로 제게 미소지어 주시고 저를 데리러 오시는 그 날에 제게 그 흰 손을 뻗어,

언니가 동생을 이끌 듯 엄마가 아이를 데리고 가듯 저를 하늘나라로 데려가 주소서. 아멘.

**죽고 싶다**

아, 빨리 죽었으면 좋겠다.

하늘나라에 가서

하느님 안에서 모든 것을 할 수 있게 되는

그 상태에 빨리 도달하고 싶다.


오늘 죽고 싶다.

그리고 내일 죽고 싶다.

그리고 모레 죽고 싶다.

죽고 싶다.

## 별 무리의 별 하나

오늘은 오랜만에 밤하늘이 개어 별을 볼 수 있어서 좋았어요.

우리 달이신 성모님, 저도 얼른 데려가셔서 당신을 둘러싼 저 별 무리 중에 별 하나가 되게 해 주세요.


빨리빨리 하늘나라에 데려가 주시면 좋겠어요.

다른 것은 이젠 보지 않을래요.

아무것도 고려하지 말고 한순간에 깜짝스럽게 가도 상관없어요.

어머니, 언니 같은 성모님, 내 사랑스런 퐁맹의 성모님,

당신은 제가 아무리 찡찡대도 하느님 뜻에 어긋나도록 이루어 주실 리는 절대 없으니까 안심하고 지극히 신뢰하는 마음으로 계속 희망하나이다.


나를 완전한 사랑에로 데려가 주세요.

저는 여기서 무슨 거대한 덕행의 모범이 되거나 이름 따위를 남기고 싶은 생각도 없으니


그냥 하늘나라에서 하느님 자녀들의 포대기에 싸인

영원한 하느님의 아이가 되기를 소망하나이다.

## 이 길 위에 굳게 서 있기를

나는 어린이의 길에서 벗어나지 않을 거예요.

하느님에게는 이런 어린애가 필요하니까요.

당신 같은 사랑스런 아버지의 다정스런 마음에는

거리낌 없고 순진하게 신뢰해 드리는

딸래미가 필요할 테니까요….

## 믿음의 조각들

●

그래요, 믿어요.

나는 믿어요, 주님. 믿어요!


하느님, 당신이 저를 당신의 심장에 데려가시고

내게 완전한 지복을, 완전한 하느님을

누리게 해 주시리라 믿어요!


●

기도해. 기도해…. 포기하지 마라.

감내하고 견뎌내고 살아가라.

사랑해. 사랑해.


●

괴롭고 사랑스럽고 가슴 아프다.


죽고 싶어요, 하느님.

너무 사랑해서 사랑 때문에

죽고 싶어요.

제2부

원의와 기도

## 어느 날의 이야기

나도 똑같아서 뭐라고 할 수가 없네.


나 요즘 잘 지내고 있어요? 성령님? 나 착하게 굴고 있는 거예요?

부끄러움 당하고 멸시받고 우습게 여겨지는 것은 이제 즐거워요.

물론 본성적으로는 어쩔 수 없이 종종 거슬리는 일이지만.

그래도 나는 티 없는 성모님은 아닌 거예요….


예수님, 예수님은 십자가의 길(10처, 11처)에서 쓰레기 같은 노예 사형수들의 명령에도 굽히고 순종하고 그들에게 구걸까지 하신 분인데, 나는 뭐죠?

나는 겨우 나보다 더 떡 많은 00들에게 지시받는 것으로도 짜증을 느끼잖아요.

도움을 청하는 사람에게 왜 나는 짜증을 내죠?

알아요, 그렇게 심하지도 않았고, 한 줄기 바람처럼 희미하게 왔다가 사라지는 신경질이었고, 나는 금방 그를 도와주었지만,


나는 정말 이렇게 보잘것없는 사람이에요.

미간을 찌푸리는 건 나의 반의도였는데, 어쨌든 난 더 당신의 마음을 닮고 싶어요.


'마음이 겸손하고 양선하신 예수는 우리 마음을 당신 마음과 같게 하소서.'


이 말대로 해 주세요.

주님께서 보내시는 사랑스런 시련들에 인상 구기지 않게 해 주세요.

성령님, 그러니 저의 용기가 되어 줘요.

친히 저의 사랑과 덕행이 되어 줘요.

## 바보 취급의 장막

예수님. 나는 당신을 사랑해요.

그런데 저는 제가 이런 미친 사랑을 받고 있으면서도,

가끔 아버지에게서 멀찍이 떨어질 만한 무슨 죄를 지어서,

멀리 떨어져 있는 것 같아요.


하지만 그런데도 알아요, 주님. 나는 늘 당신께 거지처럼 손 뻗고 아이처럼 웃을 거예요. 예수님, 나는 당신을 사랑해요. 당신을 사랑해요. 당신을 사랑해요.


예수님,

예전에는 제가 지금 겪고 있는 이런 일들을

겪어내고 감내하고 즐거운 마음으로 견뎌 나가는 마음가짐 따위,

꿈도 꿀 수 없었고 꾸기도 싫었는데.

마르셀 반 같은, 쿠페르티노의 성 요셉 같은,

그들이 겪곤 했던 바보 취급당하는 삶 말이에요.


그런데 지금 저는 은밀한 즐거움을 느껴요.

여기서 그런 바보 취급의 장막 안에 가려져 있는 덕분에, 제가 당신과 더 가까이 있게 되고 당신은 제게 더 가까워진 기분이 듭니다.

저 바보 취급의 장막이 베로니카의 베일 같이 느껴집니다.

아버지. 저는 이곳에서 아무에게도 인간적인 사랑을 받지 않습니다. 그러나 아버지, 당신이 바로 제 기도를 이루어 주셨으니, 하느님 아버지의 이름은 찬미를 받으십시오.

'그를 동정해서 착하게 대해주던 사람들에게마저도 그는 귀찮은 존재였다.' (쿠페르티노의 성 요셉의 이야기 중)

아버지, 당신이 정말로 겸손과 저 밑바닥까지 내려간 예수 그리스도 왕을 저희에게 주시지 않았더라면,

당신이 저희에게 성 요셉 쿠페르티노 같이
단순함과 천진함과 아이다움과, 오로지 당신에게서 오는 그 은총만으로 성인이 된 그런 성인을 우리에게 주시지 않았더라면,

저희가, 제가, 과연 이런 일을 이런 평온한 마음으로 견뎌 나갈 수 있었을까요? 결코 그럴 리가 없었겠죠.

예수님. 주님께서 제게 주신 모든 감미로운 시련들에 진정으로 깊은 감사를 드립니다.

그 어떤 일이, 고난이, 시련이 온다 해도 그것은 저를 위한 일일 것이며, 저는 그런 고통을 받아도 싼 인간입니다.

그러나 당신의 구원 사업은 얼마나 완벽합니까?
예수님의 삶이란 얼마나 향기롭나요!

이 자리에 와서야, 제가 얼마나 교만하고 자주 윗사람으로 여기고 있는지를 알았어요.
제가 바라던 선물을 이렇도록 신경 써서 주시는 하느님,
찬미를 받으십시오.
찬미 받으세요, 하느님. 하느님.
하느님의 뜻 안에서 현명하게 처신하는 은총을 주세요. 그 속에서 저도 계산하지 않고, 내어주는 사랑을 품으며 더 노력하겠습니다.

하느님. 말 못 하는 벙어리 같은 이 시간에 감사드립니다.

당신과만 말하면 되고, 다른 고민거리도 친히 없애주시니 감사드립니다.


하느님 정말 감사합니다.


## 보호를 청하는 기도


성모님, 제 꿈자리를 지켜주세요.

제 방을, 그리고 이 집을 지켜주세요.

천사들의 여왕 마리아 님, 이 집에 당신의 거룩한 천사들을 머무르게 하시고 원수를 물리쳐 주소서.

사탄의 머리를 깨어 부수는 여인이여!

마리아 님, 마리아 님!

## 제 마음, 당신이 바꾸어 주세요

다른 사람들의 행동이 정말 위선자같이 보이는데
그런데 이런 그들을 보고 생각하는 나도 위선자 같아.


수많은 거룩한 성인들의 '머리'가 땅바닥에 붙어 겸손을 노래하
는데, 내 머리는 저 구름 위의 공중에 떠서 날아다니는 것 같아.


내게 교만이 있는지 겸손이 있는지에 대해
말할 수 없어.
나도 정말 모르겠어.


그저 주님, 주님께서 저를 구해주소서.
제가 오늘 좀 피곤하고 공포스러운 일을 당했다고
투덜거리고 기분 나빠하지 말게 해 주소서.
착한 마음을 가지게 해 주소서.


매 순간 시시때때로 마귀의 혐오스러운 유혹을 겪었던 예수님,
수난의 공포스러운 시간에 마귀들에게 학대당하신 예수님,

당신에 비하면 제가 겪는 것은 아무것도 아닙니다.

그런데도 제가 이렇게나 건방지고 금세 짜증을 냅니다.


예수님, 죄송합니다. 사랑합니다.

'사랑합니다'라고 말하는 이 말이 진실하게 제 마음을 이루어 주
십시오. 당신 마음처럼 온유하고 순수하고 순결하고 정결하고 겸손
한 마음이 되게 제 마음을 바꾸어 주십시오.



## 어느 날의 단상


죽고 싶은데도 아직 죽을 수 없고

사람들 사이에서 사랑이 없는 것을 보면서 때를 기다리며 질기게
사는 것도 나쁘진 않네.


예수님께서 이 세상의 사랑 없음을 보며

눈물을 흘리신 수많은 시간 속에 같이 있는 느낌이니까.

## 괜찮으니까

내가 어떤 상태인지 따지려고 하지 마.

뚫어지게 바라보고 마음에 무리가 갈 만큼 신경 쓸 필요 없어.


별로 심한 것도 아니고 이건

영혼의 암흑 상태일 뿐이니까….


이건 언젠가 태양이 뜨는 날에

사라져 버릴 뿐인


그런 흐린 어느 날인 것일 뿐이니까.


난 괜찮아요.

## 어느 날의 탄식

죽고 싶다.

자꾸 이런 말 하면 안 되는데

아버지한테 자꾸 이런 소리 들려 드리면 안 되는데

아버지의 뜻이 이루어 지시기를 청합니다-하고

그러고 난 다음에

살아가야지 계속 이러면 안 되는데

자꾸 죽음을 얘기해서

자꾸 꺼내서 죄송해요

제가 삶의 시간을 깎아먹고 있나요?

제가, 낭비하고 있는 걸까요….

주님, 저를 단지 당신 사랑의 희생 제물로 삼아 주시기를 청합니
다….

영광스러운… 무슨 기적… 뛰어난 일을 바라는 게 아니에요….

저는 가르칠 마음도 없고, 업적을 원치도 않으며
사람들 사이에 있고 싶지도 않아요….

제 눈, 제 몸, 제 마음…. 주님… 당신 손으로 보호하소서.

이 몸… 이 몸… 언제쯤에야
이 더러운 세상에서, 추악한 원죄의 흔적에서, 육신의 피로에서,
이 어둠의 그림자에서,  사랑이라곤 그림자밖에 볼 수 없는 세상
에서
사소한 것들에도 이리 흔들리고 저리 흔들리는
이 몸뚱아리, 이 육신을 버리고
하늘에 갈 수 있을까요?

티 없는 당신과 당신의 어머니는
도대체 우리와 얼마나 다른 건가요?

이건 빛과 어둠의 차이보다도 더 크지 않은가요,

원죄 없고 티끌이 없는 두 육신이 하늘에 오르는 것은 너무 당연
하지 않은가요?

그 두 분, 그 두 분의 육신만이 완전히 사랑스럽다는 건

너무도 당연하지 않나요…


이 육신이 예쁘건 말건

제가 어떻게 사랑할 수가 있겠어요…


아, 사랑 때문에 답답한 세상아.


하루빨리 하늘에 오르기를 소망합니다.

하루빨리 이 육신을 벗어나 당신의 품속으로

날아가길 희망합니다.

## 괴로워요

괴로워요. 괴로워요.

발에 치이는 모든 것이 괴로움이네요.

슬퍼요. 예수님. 예수님.

사랑 없는 공기에 제가 이렇게나 괴로운데,

그런데 당신은 성당에서 감실에서 신자들 사이에서

그리고 세상에서 이 공기에 얼마나 혹사당하고 있는 거예요…?

아니 당신 같은 결백한 사랑의 심장을 가진 존재가 이걸 견딘다
고… 이걸… 너무…. 이건 너무 혹사고 너무 큰 괴로움인데….


하…. 하느님, 하느님! 제가 애걸복걸하오니

저를 데려가 주세요.

저는 사랑하고 싶어요. 사랑하고 싶어요.

하느님을요. 하느님을요….


하느님을…. 나는 너무 괴로워서

이 세상을 떠나고 싶어요…. 그런데 제 뜻대로 하지 마시고

부디 바라오니 하느님께서 제게 유익하다고 생각하시는 그대로

제게 이루어 주소서….

아멘.


**조각글**


● 순명도 가난의 하나였구나.


● 그는 가난이 얼마나 행복한지를 아직 모르는구나.

그래서 그렇게 말한 거구나.

잃는 것의 중요성을 말하면서 많은 것을 가져야 한다고 말하는,
그래서 우리는 결국 모순덩어리인 거구나.

## 주님, 당신은 아시니까

그렇군요.

언제나 겸손을 위해 성령께 간구해야 한다는 것은 정말 진실이었어. 그리고 결국 누구도, 나와 가깝다고 자신하는 이들도 나를 모르리라는 것도 사실이었어.

내가 나를 변호할 필요는 없습니다.
그들이 내가 그들 마음에 들지 않았다고, 내게서 찾아내고야 마는 드러난 부족함과 불완전함 때문에 나를 여전히 '어떤 인간'이라 여긴다 하더라도, 그것이 어떻게 거짓일 수가 있으며, 또 그것이 어떻게 진실일 수가 있겠습니까?

저는 언제나 노력하겠습니다, 예수님.
반발하지 않고, 제가 엎어지고 넘어진 것을 보며 제가 바닥에 있는 자라고 여기는 모든 이들이 저를 우습게 여기고 자기가 옳다고 여길지라도 억울해하지 않겠습니다.

아버지, 정녕 제게 오늘도 좋은 시련과 좋은 가르침을 주시고,

겸손을 위해 성령님께 간구할 수 있게 기회를 주셔서 감사드립니다.

주님. 주님. 내 주님. 오늘도 참 감사합니다.

주님. 어쩔 수 없이 저 또한 다른 영혼을 판단하고 자만의 옥좌 위에서 내려다보는 잘못을 자주 저지르지만, 그런데도 저는 하느님을 사랑하고, 따르길 원하며, 당신께 감사드리나이다.

제가 이해받기를 원치 않아요.

오해를 받으면 기뻐하겠습니다.

조심성도 애덕도 없이 판단의 벽을 세운 채 들을 생각이 없는 이들에게,

제가 그런 사람이 아니라고, 제 의도가 그렇지 않았다고

설득하려는 노력도 포기하겠습니다.

다 안다는 듯이 저를 보고 웃더라도,

이미 판단을 내리고 나를 꿰뚫어 보았다는 듯이 말을 마치더라도,

웃겠습니다.

그들도 저도 모르지만,

주님, 당신은 진실을 아시니까.

## 예쁘신 어머니

아, 예쁘신 어머니….

저 품속에 파묻혀

죽어버리면 좋을 텐데….


영원을 저 품속에 파묻혀

사랑 속에 살아가고 싶다….


어머니, 좋으신 성공의 어머니, 저를 이끌어 주세요.

우리 달려가요.

그래요, 불러만 주시면

우린 달려갈 거예요.

예수님의 입으로


●

말씀을 읽어라. 말씀을 읽어라.

말씀이 네게 해야 할 바를 알려줄 것이다.


너 자신을 이겨라. 감히, 천사처럼 되어라.


●

거룩해라. 거룩하게 살아라.


순결을 잃지 마라. 순결이란 정신의 작용이다.

모든 것에서 자극을 잃게 하고 모든 것을 순결하게 하고

깨끗하게 하고 부드럽게 하는 전적인 순결을 본받아라.


네 정신을 산만하게 하지 마라.

거룩하지 않으면 그리스도인이라 할 수 없다.


거룩하여라. 너의 어머니께서 그러하듯이

순결하여라.

●

소금이 제맛을 잃으면, 무엇으로 다시 짜게 하겠느냐?

너는 너 자신을 이겨라.

누구든지 자신을 버리지 않으면 내 제자가 될 수 없다.

## 잔 다르크 언니

제가 어떻게 하면 되는 거예요?

잔 다르크 언니, 제게 길을 가르쳐 주세요.

제가 때와 시기를, 순간을, 방향을 알게 해 주세요.

## 예수의 말씀과 천상 식구들

예수의 말은 내 마음을 따뜻하게 해.
더럽고 더러워서 숨이 막히는 가슴에 정화가 돼.
예수는 말만으로도 나를 정화하고 그 말씀만으로도
거룩함의 아름다움을 알게 해….

질척거리는 진흙에 매력을 느끼면서도
나는 벌레이기 전에 영을 가진 사람이라서
하느님을 모상으로 지어진 하느님을 닮은 인간이라서

그래서 지혜에 사랑을 느끼고 박사 중의 박사,
선생 중의 선생이신 하느님께 끌림을 느껴.

내가 죄를 짓고 내가 죄인임을 알고
내가 나를 버리지 못해서 모양만 그리스도인인 때에도 나는
그분의 진정한 제자가 되고 싶은 열망을 느껴….

나는 거룩함을 원해. 그것은 깨끗하고 티끌 없고

아름다우니까. 몹시도 아름다우니까.


더러움에 구역질이 나고 토할 것 같으면서도
나는 자주 주위를 그 진창들을 들여다보지만


나는 내 눈을 그런 것이 아니라
아버지께로 드리고 싶어.


나도 계속 매 순간 변하는, 나아가는,
거룩함으로 나아가는, 사랑하는 하느님의 자녀이고 싶어.


성인이고 싶어. 성인은 사랑하고, 그들은 순종하고, 정화되고, 깨
끗하니까. 성인은 누구나 순결하니까.


그러니까, 나를 이끌어 주세요. 거룩한 하늘의 형제자매들이여,
당신들이 고통받던 이 세상에 지금 나는 발을 딛고 서 있답니다.


나에게는 모든 가능성이 열려 있어요. 그러니
당신들이 나아간 그 거룩함으로 나를 이끌어 주세요.

거룩한 나의 친구들이여.

천사들이여.

## 당신을 기쁘게 하는 은총을

어머니, 제가 당신과 주님이 원하시는 대로 공경할 수 있는 은혜를 주세요. 그것이 누구에게나 주어진 은혜가 아님을 저는 알고 있습니다. 그것이 제게 필요합니다. 거룩하신 성가정을 기쁘게 해 드릴 수 있는 하루를 채울 수 있는 은혜를 주십시오….

제 하루를, 아니 제 순간들을 당신을 기쁘게 하는 순간으로 채울 수 있는 힘과 지혜를 제게 주십시오…. 아멘.

## 나의 구원자를 통해서

아빠. 그럼에도 불구하고

저는 당신이 저를 궁극의 사랑에, 당신 얼굴 주위를 날아다니는 천사 성인의 무리에, 당신 사랑의 가슴에 그 모든 결말에 데려다 주실 것을 믿어요.


제게 믿음이 있음을 알아요. 주님이 주신 영원 같은 믿음, 무지 개를 불러오는 믿음….

그러나.

그러나 주님, 저는 제가 당신께 드리지 못한 수많은 봉헌을,

제가 따르지 못한 수많은 당신 뜻을,

제가 놓친 소중한 시간을,

제 도움을 기다리지만 돕지 않은 그 많은 영혼을 생각하며 슬퍼 해요.


당신께 드리지 못한 것들 때문에 언짢아요.

지키지 않은 약속들 때문에 언짢아요.

당신을 사랑함으로 채우지 못한 시간을 슬퍼해요.

지나가고 나면 다시는 없을 것들이에요.

소중하다, 로 표현하기에도 너무 가치가 커서

너무 커서, 이 모든 순간이 영원이라서

그걸 알면서 다른 사람들과 다를 바 없이

하등 다를 바 없이 산 세월이 부끄러워요.


예수님. 미안해요. 저를 용서해 주세요.

아버지. 저라는 인간이 이런 인간이라서,

인간이란 애초부터 당신의 자비와 은총에 의지하지 않으면

한 마리의 마귀밖에 안 되는 존재들이라서

그래서 저는 당신께 언제나 제 모든 불찰과 죄악과 부족함 때문
에 용서를 빌고 자비를 얻는 처지이지만


원래 그럴 수밖에 없는 처지이지만

그래도 제가 아버지께 미소를 선물하기 위해서


당신 가슴에 슬픔이 아닌 기쁨, 역겨움이 아닌 감탄을 드리고,

솔솔 부는 청아한 바람 같은 순결로 당신의 마음을 몹시도 편안
하게 하는 그런 생활을 할 수 있으면 좋겠어요.

당신의 거룩하신 마리아, 그토록 고귀하고 아름다운,

사랑스럽고 사랑받는 마리아를 닮아

저도 그럴 수 있으면 좋겠어요….


말만이 아니라 생활로, 온 마음과 생각과 행위와 몸과 정신을 다하여 실천하고 증명할 수 있었으면 해요.


당신 눈에 당신 가슴에 내가 고귀한 존재이길 바라요.

당신께서 보시기에.


예수님. 우리 구원자 예수님.

한 명의 비천한 마리아 막달레나를 하나의 세라핌으로 바꾸어 주실 수 있는 우리 선생님, 스승님, 어린 양이여.


저를 키워 주세요. 궁극에 도달할 수 있도록

죄로 당신을 슬프게 하지 않을 수 있도록


누구도 중상하지 않고, 사랑할 줄만 알고

사랑이 될 수 있는, 그런 영혼이 되게 해 주세요.

그렇게 해 줘요. 나의 구원자 예수님.

성녀 파우스티나의 일기 중 -


"이 자비의 샘에서 자비를 퍼 올릴 수 있는 그릇은 신뢰밖에 없다는 사실을 전하여라.


신뢰하는 마음이 클수록 내 관용에는 한계가 없을 것이며 겸손한 영혼에게는 은총의 급류가 흐를 것이다.


교만한 영혼에게는 가난과 비참함만이 남을 것이다.

왜냐하면 내 은총은 교만한 사람을 피해 겸손한 사람들을 향해 흐르기 때문이다.


너는 어린아이 같기 때문에 내 성심 곁에 머물게 될 것이다.


너의 단순함은 네가 치른 희생보다 더 값진 것이다."[2]


: 원래 내 일기장에는 책에서 본 글귀들을 잘 옮겨 적지는 않지만, 이 말씀은 몹시 마음에 들었기 때문에 적고 싶었다.

---

2) 소피아 미칼렌코, 『자비는 나의 사명』, 서요셉 옮김, 아베마리아(푸른군대). 파우스티나 성녀의 일기 1602의 내용

### 5월의 잔 다르크 소식을 듣고

5월 15일에 프랑스에서 잔 다르크 성녀에 대한 대행렬이 있을 거래요.

예수님, 제가 그날에 프랑스에 있진 못 하겠지만, 부디 제 영혼으로 그 행렬에 참여하여 성인과 아버지, 예수님, 그리고 성령님께 영광을 드릴 수 있게 허락하여 주세요.

그런 은총을 제게 내려 주세요.

## 거룩함을 사모하며

아버지, 여기서 제가 뭘 해요. 제가 어떻게 해야 하는 거예요.

이게 뭐예요. 이렇게 숨 막히는, 이렇게 거룩함이라고는 우주의 공기처럼 희박한 이 세계에서 저더러 어쩌라는 거예요.

이럴 거면 왜 계속 살려두시는 거예요. 저는 너무 숨 막히고 목이 마른데…. 당신을 알고 싶은데 저는 당신의 심정은 눈곱만큼도 이해하지 못하고 당신 심장에 담긴 것들을 알아주지도 못해요.

저는 거룩함 속에 있지 않으면 다른 이들처럼 타락하기가 그토록 쉬워서 그래서 날 보호해 줄 거룩한 신앙의 환경이 필요한데….

내 의지 같은 거 줘도 가지고 싶지 않으니까 도로 가져가 버리세요. 나 같은 게 내 의지를 제대로 사용할 수나 있겠어요? 더러운 시궁창 벌레 같은 인간이….

저를 구해 주세요. 저를 거룩함으로 이끌어 주세요.

보세요, 주님, 저는 이렇게도 거룩함을 원하는데….

저는 안다구요. 세상 저 곳곳에는 저보다 더 거룩하고 훌륭한 삶을 사는 이들이 아주 많다는 걸 안다구요.

그들은 그렇게 잘 살고 있는데 나는 너무 괴롭다구요.

제가 거룩하게 사는 것에 너무 더뎌서 그래서 괴롭다구요.

영혼이 하도 거룩해서 받는 무고한 이의 숭고한 괴로움은 기쁨이잖아요. 그건 초자연적인 기쁨이 되는 괴로움이잖아요.

내가 지금 겪는 하급한 괴로움과는 다르다구요. 나는… 살고 싶어요. 거룩하게 살고 싶어요. 그럴 수 없다면 살고 싶지 않아요.

이 세상을 더 즐기기 위한 여분의 시간 같은 거 내게 더 주실 필요도 없어요. 나는… 사랑하고 싶어요. 제가 사랑하기 위해 가장 훌륭한 시기에 저를 죽여주세요. 제가 주님 안에서 드디어 주님께서 "오너라!"하고 미소로 불러주실 그날이 올 때 저를 데려가 주세요. 저를 거룩한 사랑 안에서 살게 해 주세요.

## 가르쳐 주세요

예수님, 당신이 원하시는 길을 제게 알려 주세요.

당신이 원하시는 그것을 제게 가르쳐 주세요.

저를 당신 뜻을 모르는 불행에서 구원해 주세요.

제게 거룩한 겸손을 주시고 저를 완전한 사랑에로 이끌어 주세
요.

예수여, 당신은 그럴 힘과 권능이 있으시니

저를 일으켜 당신의 위대한 사랑의 자녀가 되게 해 주세요.

## 주님의 표시를 알 수 있도록

그분은 언제나 내게 중요한 행동의 실천을, 길을 알려 주었어.

그러니 난 주님이 주시는 표시를, 사인들을 놓쳐버리는 짓은 하지 않을 거야.


주님이 내게 주시는 신호들을 나는 기민하게 알아차리도록 노력할 거야.


그러니 성 가브리엘 대천사님, 저를 도와

제가 주님의 길을 주님의 뜻을 주님의 말씀을

새겨듣고 그대로 따르게 하소서. 아멘.

# 제3부

# 그 모든 소망

Cleanse me, my Lord
순수함에의 동경
인간을 견디는 하느님은 굉장해
마음을 다잡으며
한탄
함께해 줘
위로 받으시기를
알아서 하세요
성가정의 향기를 사모하다
두려움
신부님의 꿈
Pray for…
거룩하고 순수한 아이들을 닮아
하나 되게
사랑 때문에 죽기를
이름의 무게감
세기를 넘어서
열정에 대한 피로감
지금 이 순간의 사랑

Cleanse me, my Lord

●

제 욕심이 제 마음 안의 사심이 제 눈을 흐리는 일이 없게
저를 다스려 주시고 정화해 주세요, 나의 주님.

●

예수야, 괴로워. 고마워. 사랑해. 예수야, 너를 사랑해. 사랑해.
예수야, 사랑해. 너만을 사랑해. 그러기를 원해. 너만을, 너만을.
너만이 내 구원. 너만이 나를 눈처럼 희게 정화하고 나를 사랑해
주고 나를 천사처럼 만들어 주고 나를 위해줄 줄 아는,

나를 영원히 살리려고 피를 쏟는 인간 제물이 되었던 너는,

이스라엘 예루살렘에 마련된 제단 위에서 너의 피로 세상을 구한
하느님의 어린 양인 너는,

너는 나의 왕이고 구속자이고 나의 사랑의 예루살렘이고 영원한
예루살렘이야.

## 순수함에의 동경

나도 깨끗하신 마리아 같으면 좋을 텐데

나도 거룩하고 싶어 아주 깨끗하면 좋겠어

나도 마리아처럼 티 없이 거룩하고 순수할 수 있으면 좋겠어


이 세상에 사는 것이 너무 괴로워

더럽고 더러워서

나는 거룩하고 거룩한 공기가 필요해


예수 예수 거룩한 예수

나를 살려 줘요

나를 거룩하게 살려 주세요

거룩하게 살게 해 주세요.


세상이 너무 더러워요

숨이 막혀요 역겨워요

나를 살려 주세요

## 인간을 견디는 하느님은 굉장해

하느님. 영적인 것은 왜 이렇게도 눈에 보이지 않아서

사람을 깨달음에 둔감하게 하는 거죠?

영적인 눈이 깨인 사람은 얼마나 되나요?


어째서 사람의 영적이고 정신적인 추악은

이다지도 외적으로는 보이지를 않아서

경각심을 더 오래 잠든 채로 두는 걸까요?

겉으로 드러난다면 더 일찍 더 명확히 깨달을 수 있을 텐데.


영적인 눈. 영적인 기상 상태는 너무도 어렵잖아요.

그냥 차라리 겉으로 드러나면 좋을 텐데. 드러나면 좋을 텐데….

자신의 추악함을 볼 수 있게 된다면 좋을 텐데… 아니, 하지만 그렇게 되면 거의 모두가 자신의 마귀 같은 모습에 충격을 받아 죽어버릴 테지….


자신의 영적 상태를 있는 그대로 보는 것도

하느님에게서 오는 '은총'이기 때문에

사람은 그 은총을 당연한 듯이 가지고 있을 자격이 없다.

사람은 그런 은총을 얻는 것을 겸손한 마음으로 청해야 하는 것이고 그것을 주는 것은 하느님의 마음이다.


인간은 대단히 착각하지만 -언제나 그렇게도 불손하고 오만해- 어느 은총도 고개 뻣뻣이 들고 당연하다는 듯 요구할 권리도 없고 자격도 없다.

오만불손한 인간. 더럽고 역겨운 인간. 하느님의 자비와 빛 없이는 마귀 말고는 아무것도 아닌 인간….


세상은 너무도 어렵고

경건함이란, 사랑이란, 타락과는 종이 한 장 차이이면서

억만 광년은 멀어….


사람들은 언제나 저 좋을 대로만 생각하고

성찰하기를 원하지 않아. 변하기를 원치 않으니까.


당신은 이런 우리를 보며 무슨 생각을 하시나요?

당신은 어째서 이 모든 답답함을 견디죠?

당신은 도대체 무슨 존재여서. 당신은.

당신은….

## 마음을 다잡으며

● 성 안토니오 오빠의 축복이 오늘 나와 함께 하기를.

●

자꾸 괴롭다고 하니까 마음도 자꾸 우울해지는 것 같았어요.

그러니 앞으로는 좀 더 즐겁고 좋은 말을 많이 할게요.

나는 언제나 기뻐하고, 사랑하고, 기도하고, 감사해야 하니까. 그렇지요?

오늘부터 나는 좀 더 웃을게요. 당신이 나와 함께 있으니까, 기뻐할게요. 당신께 좀 더 내 하루의 모든 이야기들을 들려주고 당신과 이 순결하고 깨끗한 사랑을 나누도록 할게요.

## 한탄

예수야. 이 세상의 빛을 원하지 않아.

세상이 말하는 멋짐과 빛남에서 나를 멀어지게 해.

나는 죽어야만 해… 무엇보다도 나의 뜻에서….


나는 입만 나불거리는 사람이 되고 싶지 않아.

그저 그런, 그럴싸한 신자로 살고 싶지 않아.

그건 신자 행세일 뿐일 테니까….


너의 이름이 칼이라고.

네 이름은 그렇게 사랑스러운데

미워하는 자와 사랑하는 자를 가르고

증오로부터 미움을 받아.

그러나 너는 완전한 성심을 가지고 있으니까

괴로워하지 않을 수 없을 거야. 아주 작은 미움에도.


왜 이렇게 혹사당해야 하는 걸까.

내가 온전히 너를 따르고 있는지 확신할 수 없어.

적당히 나를 위하고 삶을 즐기면서 살 수가 있을 거야.

그런데 그런 상황에서 온전히 너를 사랑할 수가 있어?


내가 나를 아주 조금이라도 좋아하면서

이러면서 내가 완전해질 수가 있어?


완전한 진리를 알고 거룩한데

어떻게 본연의 나를 사랑할 수가 있어?

언제나, 무언가 하나 내 것으로 빼 두고

너를 사랑한다고 거짓말하는 거 같잖아.

솔직히 잘 모르겠어. 나는 아직 뭘 잘 모르는 것 같아….


이 세상을 미워하면 영생을 얻는다고 했어.


모든 즐거움이 괴로움이야.

인정하지 않을 수는 없을 만큼

즐거움을 좇는 것은 괴로움이야.

## 함께해 줘

예수야, 네게 고마워. 예수야, 난 널 사랑하고 감사해.

고마워 예수야. 나도 기도 열심히 할게.

노력할게.

언제나 내 선택에 함께해 줘.


## 위로 받으시기를

예수님, 당신이 당신의 이름을 들어 모욕하고 비아냥거리는 사람들로부터 상처받지 않았으면 좋겠어요.


그들은 당신을 몰라요. 그들이 당신을 진정으로 안다면 그런 말을 결코 함부로 하지 않을 거예요. 당신을 존중할 줄을 알 거예요.


그러니까 당신이 그것 때문에 슬퍼하지 않았으면 좋겠어요.

저는 당신을 사랑하고, 앞으로도 영원 속에서 당신께 감사하고 당신을 사랑하고 당신을 찬미하는 영혼들이 많이 생길 테니까.

당신은 많은 사랑으로 위로를 받기를 바라요.

당신은 사랑스러워요. 당신의 이름은 너무도 아름답고
당신의 이름을 부르는 것만으로도 내겐 위로가 되어요.

당신을 알지 못하는 사람들에게는 안된 일이지만
얼마만 한 행복인가요, 당신을 사랑할 수 있다는 건!

우리에게 이런 자비를 베풀어 주신 당신께 감사해요.
그런 당신을 보내주신 우리 하느님 아버지께 감사해요.
성령께서 우리와 함께 계시면서 앞으로 더 많은 이들을 이끄시고
가르치시기를 청해요.

오늘도 당신은 찬미 받으세요, 나의 예수님!

## 알아서 하세요

저는 몰라요.

알아서 하세요. 그냥 알아서 하세요.


나는 주시는 대로 그냥 받겠습니다.

제가 구질구질하게, 추하게 굴지 않게 해 주세요.

그저 주시는 대로, 겸손과 순종과 감사를 다 한 마음으로

그저 당신께 찬미 드리게 해 주세요.

## 성가정의 향기를 사모하다

내가 예수를 잃으면 어떡하죠?

나는 성가정의 향기를 너무도 좋아해요.

나는 그분들의 향기를 닮지 않으면 안 돼요….

나는 나를 위해 내게 찾아와 웃어 주었던

그 소년 예수를 영원히 안고 있을 거예요.


나를 이끌어 주세요.

내게 알려 줘요.

내게 지혜를 줘요, 성령님.


정말로 내가 지혜가 부족한가요?

귀가 먹어서 당신의 속삭임도 외침도 들을 수 없는 거예요?

나는 사랑하고 싶어요. 알려 주세요.

알려 주세요, 사랑이 나를 완전히 변모시키기 위해

나를 원하는 그 길로 나를 이끌어 주세요.


내가 하는 모든 일이

당신의 영광을 위한 것 외에 아무것도 아니게 해 주세요.

## 두려움

내가 교만한 것 같아서 괴롭다.

부질없이 자신이 얼마나 더 교만한가를 서로 경쟁이나 하는 것이
괴롭다.


겸손의 모범이라고는 찾아볼 수도 없는 환경에 질린다.

나 자신을 알 수가 없어서 질린다.


자, 나를 좀 봐, 난 이렇게 모든 걸 알고 있고 경험이 많아.

들어 봐, 내 말을. 내가 이렇게나 지혜롭잖아. 나를 인정하는 게
어때? 너는 나를 추앙해야 해. 너는 나를 떠받들어야 해. 나를 알
아봐 줘야 해.


이딴 말이나 하는 세상이 싫다.


언젠가 보고 아름답다고 여겼던

고결함과 거룩한 가난의 단맛을 잃어가는 것이 두렵다.

## 신부님의 꿈

아아, 왜 OOO 신부님 꿈을 꾼 건진 모르겠지만, 어쩌면 최근에 내가 그분을 위해 특히 기도를 드렸기 때문인지도 모르겠다.

그런데 그분과 관련해서 좋은 꿈-난 좋은 꿈이라고 생각한다-을 꾸고 나니까 왠지 기운이 샘솟는다.

사제들을 위한 기도가 내 모든 원의와 지향을 충족시켜 줄 것이라는 깨달음도 얻었다.

연옥 영혼을 위해서도, 죄인들의 회개를 위해서도, 내 모든 지향을 위해서도, 사제가 미사를 드려 주고 기도해 주고 주님께 아뢰어 준다면 그보다 더 좋은 것도 없을 것 같다.

앞으로는 신부님들을 위해서, 사제들을 위해서 더욱 기도하고 희생 보속을 바쳐야겠다.

Pray for⋯


예수야, 나는 언제나 네가 좋고
너와 우리의 어머니께 천상의 인사말을 드리는 것이
매우 기쁜 일이라는 것도 느끼고 있어.


희생이라든가.
사랑이라든가.
기적. 기도. 바람이라든가.
순결이라든가. 희망이라든가. 용기라든가.
거룩함을. 순명을.


내가 잘 지켜나가는 하루를
언제나 언제나


은총이 낭비되지 않고 살고 있는 것을

## 거룩하고 순수한 아이들을 닮아


아이들은 순수하다.

그들은 과감히 청한다. 감히 청할 줄을 안다.

인간적인 지식으로 가려지지 않았기 때문에

대담하게 다가갈 줄을 안다.


아기 예수님께 입 맞추도록

감히 마리아께 바랄 줄을 알았던 소년 목자 레위처럼[3]


그들은 언제나 한발 앞서 하느님께 다가간다.


나도 소년 예수의 친구가 되고 싶어.

그 아이와 놀고 그 아이와 그 어머니를 통해서

하느님께 다가서고 싶어.

---

3) 마리아 발또르따, 『하느님이시요 사람이신 그리스도의 시』 제1권,
크리스챤 출판사, 「49. 목자들의 경배」 내용 중
 ""아기 옷에 입맞추게 해 주세요"하고 레위가 천사와 같이 웃으며
말한다. 마리아는 예수를 살그머니 들고, 건초에 앉아서 린네르천으로
싼 조그만 발을 입맞추라고 내민다. 수염이 있는 사람들은 먼저 수염
을 닦는다. 거의 모두가 눈물을 흘린다. 그리고 떠나야 할 때에는 마
음을 구유 곁에 남겨둔 채 뒷걸음질로 나간다……."

## 하나 되게

너는 '네가 나를 사랑하면, 내 계명을 지킬 것이다'하고 말했어.
내 사랑은 아직 완전하지 못해.


나는 원의를 가지고 있어.
나를 사랑해 준 너를 나도 온전히 사랑하기를 원하는 소망을.


예수야, 나는 네 어머니가 흘린 눈물의 원인이 된 적이 수없이 많이 있었고
네 가슴에 둔통을 느끼게 만드는 몹쓸 인간이기도 해.


그러나 나는 네 심장을 쥐어뜯고 너를 아프게 하는 영혼으로 남고 싶지 않아. 나는 원해.
봄바람 같은 위로가 되는 거룩하고 순수한 영혼이 되길 원해.


내가 네게 위로가 되고 네 심장의 아픔을 보듬어 주고
네게 미소를 선물하는 하느님의 자녀이기를 원해.

죄인으로 남고 싶지 않아.

삶을 성인의 삶으로 만들고 싶어.

후회하지 않게 사랑하고 싶어.


나를 성인으로 만들어 줘.

나를 사랑으로 변화시켜 줘.


내 암흑 같은 어두운 인간성을 박살 내고

네 거룩한 신성과 인성을 숨결처럼 불어 넣어 줘.


내가 변하게, 너를 사랑하게, 너를 닮게,

너를 흠숭하게


내가 너의 존재와 하나 될 수 있게

나를 일으켜 세워 줘.

## 사랑 때문에 죽기를

죽음에 대해 가볍게 여기고 싶지 않아.

알량한 마음으로 죽음을 대하고 싶지 않아.


사랑 때문에 죽기를 원해.

사랑이 차고 흘러넘쳐서, 주체할 수가 없어서

더 이상 이 세상에 발을 붙이고 있을 수가 없을 만큼

하늘에 끌려서


그 사랑이 내게 날개를 달아주고

나를 천사처럼 만들어서

하느님이 계신 아버지의 사랑의 영원에로

나를 날아가게 하는 그런 죽음의 새 시작을 원해.


이 세상이 힘들어서, 단지 지쳐서,

단지 무료해서, 그런 게 아니야.


내가 원하는 죽음은 그런 원의로 오기를 바라지 않아.

완전히 사랑하고 싶기 때문에

죽음을 원해.

완전한 사랑에 대한 원의로 너무 괴로워서

죽음을 얻는 사랑의 순교를 원해.


이 세상의 족쇄, 세속이 묶어둔 발목,

스스로 졌던 무거운 가방을 내려놓고,

자유로운 몸이 되어 하느님의 사랑 속으로 날아가고 싶어.

**이름의 무게감**

이름의 의미를 안다는 것은 좋아.
그 무게감이 좋아.


그 이름의 소중함, 위대함, 숨겨진 깊은 뜻.


길을 닦고 준비시키는 거룩한 세례자 요한의 이름.
그것은 그가 외치는 '다가올 그 분'의 사업이
자비로 인한 것임을 가르쳐 줘.


예수의 이름.
그의 이름은 너무도 무거워서
이 세상에 더는 없고


발음, 단어가 같은 그 이름을 다른 누가 똑같이 사용한다 하더라
도 같을 수가 없을 이름이야.


예수. 구원자. 구속자. 구원을 위해 존재를 바친

하느님의 단 하나뿐인 티 없는 어린 양.

이 세상의 구속자.


당신의 위대함. 당신의 사랑. 당신의 존재를 드러내는 것은
바로 예수라는 당신의 거룩하신 이름입니다.


하느님. 야훼.

스스로 존재하는 자.

존재하는 모든 것을 존재케 하는 자.

그 이름의 심오한 의미는 도저히 입으로 말할 수가 없고

차마 무게로도 표현할 수가 없고

너무도 거대해서, 거룩해서 차마 형용할 수가 없는

위대하고 전능하신 우리 하느님의 이름이야.

## 세기를 넘어서

세기를 넘어서
하느님의 훌륭한 성인 형제자매들과
친구가 될 수 있다는 건 경이로운 일이야.


그들의 삶은 단지 추억으로 끝나지 않고
계속해서 이어지고 있어.


그들이 나와 동시대에 살지 않았다고 해서
아쉬워할 것은 도무지 없어.


그들은 이제 하늘에서 빛으로 옷을 입고
우리의 든든한 힘이 되어주고 있으니까.


나는 하늘의 형제들을 사랑함으로써
그들과 친구가 되고 그들의 도움을 받아.


수천 년 전, 수백 년 전 삶을 영위한 언니오빠들이

지금도 영원에 살면서 내 가족이 되어 줘.


언제든 난 친구를 만들 수 있고
과거에 성인들이 많으면 많았을수록 더 좋아.
내게는 거룩한 성인 가족들이 아주 많이 있어.


세기를 넘어서
나는 훌륭한 친구들을 가질 수 있어.

## 열정에 대한 피로감

열정이라고.

난 열정이라는 말을 그리 좋아하지 않아.


예수의 열정. 예수의 사랑으로 인한 열정을 제외하고는

어느 열정도 사심 없이 깨끗할 거라는 생각이 들지 않아.


우리는 언제나 인간적인 동기로, 인간적인 열정으로,

그 자신의 무언가를 추구하고

그 자신의 무언가를 돋보이게 되기를 바라지….


나를 나 자신에게로 이끄는 열정이라면

아무것에도 열정이 없는 편이 좋아.

차라리, 그것이 좋아.


열정…. 그것을 나는 잊어버렸으니까.

나는 상관하지 않을 거니까….

## 지금 이 순간의 사랑

예수님, 당신은 오늘도 안녕하시나요?
당신이 어떤지 궁금해요. 오늘은 좋은 시간 보내셨어요?


나는 당신이 궁금해요.
그리고 정말 즐거워요.
예수님, 저는 지금 이 순간 당신을 사랑할 수 있어서
정말 행복해요.


다른 사람들이 무슨 상관이에요?
내가 누군가의 눈에는 우스워 보일지 몰라도


그런데도 나는 지금 당신을 사랑할 수가 있어서
아, 얼마나 행복한지 몰라요.


아아, 사랑아, 그대는 오늘도 잘 있나요?
내 사랑에 당신은 만족하시나요?

보세요, 사실 이토록이나 어설픈데도

그래도 너무도 사랑해요.


예수님, 가엾고 사랑스러운, 이 작은 죄인의 심장을 들여다보세요.

이토록 작고 보잘것없지만 당신에 대한 사랑으로 뛰고 있어요.

당신을 생각하며 뛰고 있어요.


예수님, 당신이 내게 많은 것을 요구하지 않는다는 걸

당신은 그렇게나 내게 그다지 별 다른 것을 요구하지 않았다는 걸 알고 있어요.


역사책에 남고, 훌륭한 교회의 모범으로 기록되는 수많은 거룩한 언니오빠들의 자리는 그들의 것이고


나는 착한 아버지처럼 하늘에 가서 나를 위해 거처를 마련한 예수 당신의 지휘에 내 안위를 맡겨요.


내 영의 모든 미래를.

당신은 내가 믿고 의탁할 수 있는

몹시도 믿음직한 예수이니까요.


다른 것은 상관없어요. 아무래도 괜찮아요.

당신을 사랑해요. 당신을 사랑해요.


내가 부족한 거 알아요. 그래도 나는 당신을 사랑해요.

영원히 사랑하고 사랑할래요.


영원히 믿고 희망할래요.

내 모든 원은 당신께 바랄래요.

작가의 말


　평소 스스로 기록한 글을, 생각보다는 자주 들추어 보지 않습니다. 이렇게 책으로 엮는 작업을 하며, 처음으로 자주 들여다본 듯합니다.

　이 어린 날의 아이가 하는 생각과 지금은 달라진 부분도 있고, 이때의 나를 생경한 것 보는 기분으로 바라보는 때도 왕왕 있었습니다.

　어제의 나와 오늘의 나도 다른 건 매한가지지만, 오늘 아침의 나와 저녁의 나가 다르고 아까의 나와 지금의 나가 다른 하루들을 뼛속 깊이 실감하는 요즘, 수년 전의 기억을 되짚으며 정리해 보는 것도 참으로 좋은 경험이었음을 느낍니다. 치기 어린 아이의 맹랑한 이야기들에 때론 웃음이 나기도 했지만, 지나온 모든 경험과 기억들이 여전히 지금의 나에게 영향을 주고 있음을 체감합니다.

처음 『빛의 책』 시리즈에 넣기로 결심한 분량이 비로소 마무리 되었습니다. 다소 어중간하게 마무리된 기분도 들지만, 이 시기 이 후로는 어둠 속을 헤매는 시기를 오랜 기간 보냈기 때문에, 『빛의 책』에 담기는 내용은 이것으로 충분한 듯합니다.

처음 출간 여정을 걸으며 너무나도 많은 시행착오를 겪어서 괴롭 기도 했지만, 모두 발전과 배움, 그리고 인내를 닦는 기회가 되었 기에 하느님께 감사드립니다. 모든 하느님의 자녀들에게 주님께서 는 영광 받으시기를.

나아간다고 생각하면 어느 순간 너무 멀어 보이는 오묘하고 신 비로운 영적 여정의 길을, 그럼에도 포기하지 않고 가고 있는 모든 분을 응원합니다.

분명 캄캄한 어둠과 한 치 앞도 보이지 않는 안개 속에서 가야 만 할 때도 있습니다만, 하느님에 대한 사랑으로 항구하게, 진리 속에서 올곧게 나아가, 모두 하늘에서 만나기를 희망합니다.


PAX TECUM.


2024년 1월 17일

퐁맹의 희망의 성모 축일에

한사랑